Spanish Is Fun

Cuaderno de ejercicios

Book A

Heywood Wald
Former Assistant Principal
Foreign Language Department
Martin Van Buren High School
New York City

Lori Langer de Ramirez, Ed.D.
http://www.miscositas.com

AMSCO SCHOOL PUBLICATIONS, INC.,
a division of Perfection Learning®

Cover design by Delgado and Company Inc.
Text design by Progressive Information Technologies
Composition by Lapiz

Please visit our Web sites at:
www.amscopub.com and ***www.perfectionlearning.com***

When ordering this book, please specify:
Softcover: ISBN 978-1-63419-934-6 or **15320**
eBook: ISBN 978-1-68240-470-6 or **15320D**

2 3 4 5 6 7 8 9 10 PP 21 20 19 18 17 16

Printed in the United States of America

Preface

This *Cuaderno de ejercicios* supplements the practice materials in SPANISH IS FUN, BOOK A. The vocabulary and structural elements are closely coordinated with parallel chapters in the textbook.

While some exercises use techniques similar to those in the basal text, others extend the range of the materials. The workbook format provides opportunities for writing practice and intensive homework.

Contents

Nombre: ____________________ Clase: __________ Fecha: __________

1

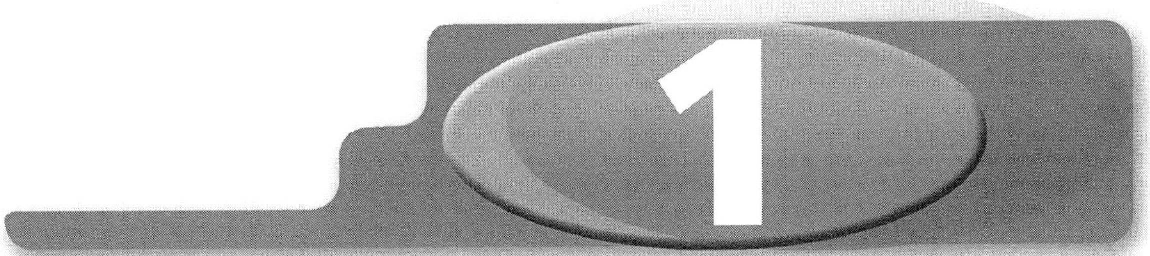

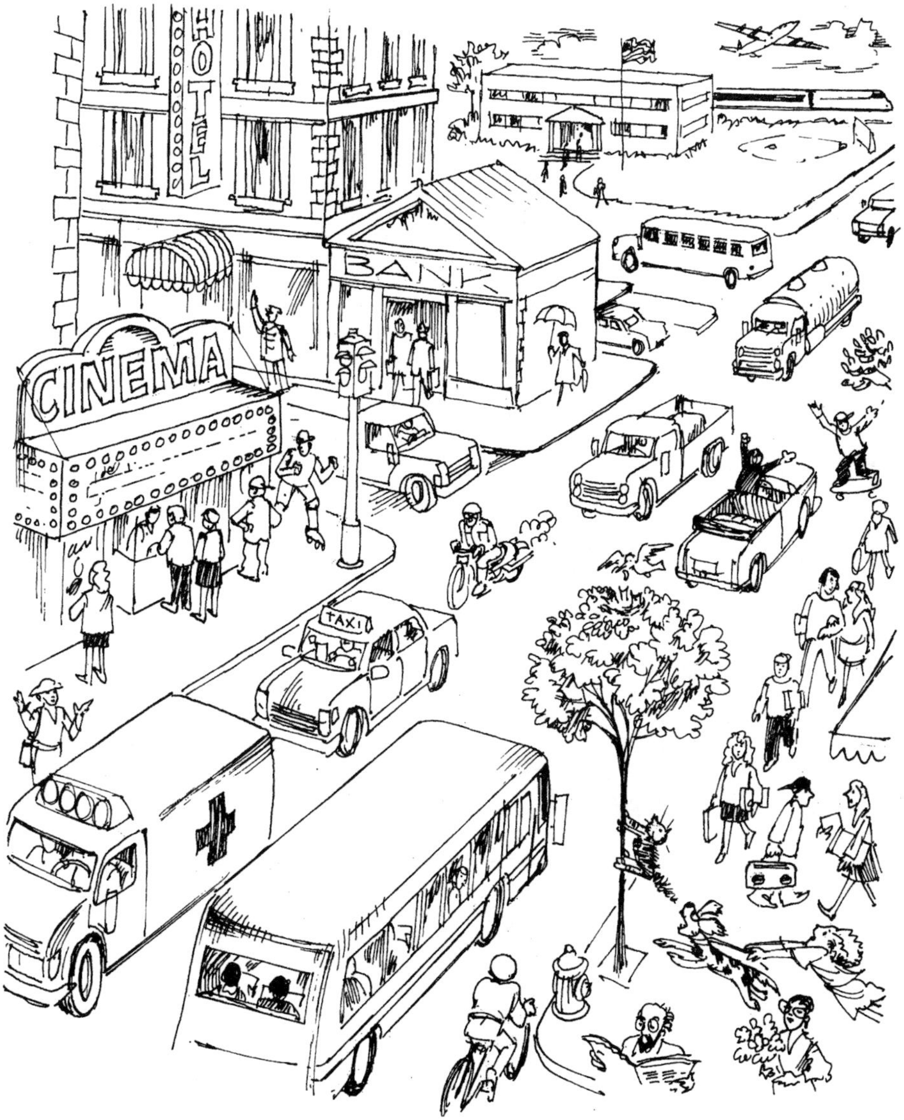

EJERCICIO A

When you walk down the street, you see lots of people and things. Can you name in Spanish 20 objects or persons that are in the picture on the previous page?

1. el hotel
2. ______
3. ______
4. ______
5. ______
6. ______
7. ______
8. ______
9. ______
10. ______
11. ______
12. ______
13. ______
14. ______
15. ______
16. ______
17. ______
18. ______
19. ______
20. ______

EJERCICIO B

Match each noun to an adjective that describes it the best, and write your own sentences.

EXAMPLE: aeropuerto grande
El aeropuerto es grande

1. el sándwich	a. inteligente
2. el amigo	b. moderna
3. la fiesta	c. difícil
4. el auto	d. famosa
5. la lección	e. rápido
6. la actriz	f. interesante
7. la gorra	g. popular
8. el libro	h. delicioso
9. el perro	i. magnífico
10. el artista	j. adorable

1. ______________________________

2. ______________________________

3. ______________________________

4. ______________________________

5. ______________________________

6. ______________________________

7. ______________________________

8. ______________________________

9. ______________________________

10. ______________________________

EJERCICIO C

Answer these personal survey questions by checking off all adjectives that apply. Then write a sentence to state your answer.

EXAMPLE: ¿Cómo es tu madre? ☐ grande ☑ inteligente ☑ sociable
Mi madre es inteligente y sociable.

1. ¿Cómo es tu padre? ☐ popular ☐ importante ☐ inteligente

____

2. ¿Cómo es tu computadora? ☐ grande ☐ rápida ☐ moderna

____

3. ¿Cómo es tu mascota (perro o gato)? ☐ excelente ☐ adorable ☐ grande

____

4. ¿Cómo es el jardín de tu casa? ☐ grande ☐ tropical ☐ natural

____

5. ¿Cómo es tu mejor amigo/a? ☐ sociable ☐ inteligente ☐ popular

____

6. ¿Cómo es tu escuela? ☐ excelente ☐ grande ☐ importante

____

7. ¿Cómo es la bicicleta? ☐ importante ☐ grande ☐ moderna

____

8. ¿Cómo es tu estéreo? ☐ fácil ☐ excelente ☐ importante

____

9. ¿Cómo es tu casa? ☐ excelente ☐ importante ☐ grande

____

10. ¿Cómo es tu libro favorito? ☐ popular ☐ difícil ☐ importante

____

EJERCICIO D

Crucigrama. Fill in the correct Spanish words.

HORIZONTAL

3. gasoline
5. student
7. radio
8. secretary
10. theater

VERTICAL

1. flower
2. intelligent
4. movies
6. train
9. friend

EJERCICIO E

Buscapalabras. There are 14 Spanish nouns from this chapter hidden in the puzzle. Circle them and list them below. The words may be read from left to right, right to left, horizontally, or diagonally.

M	Ú	S	I	C	A	T	A
O	C	N	A	B	V	N	P
T	A	C	A	M	I	G	O
O	N	A	M	C	Ó	C	S
R	A	D	I	O	N	I	G
E	R	D	A	P	U	N	A
T	E	A	T	R	O	E	T
M	O	S	Q	U	I	T	O

1. __________
2. __________
3. __________
4. __________
5. __________
6. __________
7. __________
8. __________
9. __________
10. __________
11. __________
12. __________
13. __________
14. __________

Nombre: ______________________ Clase: ____________ Fecha: ____________

EJERCICIO A

Make the following sentences plural. Be sure to change the noun, the adjective, and the verb.

EXAMPLE: El perro es grande.
Los perros son grandes.

1. El disco compacto es popular.

   ____

2. El diccionario es importante.

   ____

3. La abuela es simpática.

   ____

4. El garaje es excelente.

   ____

5. La familia es moderna.

   ____

6. El hijo es sociable.

   ____

7. La plaza es ordinaria.

   ____

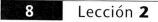

8. El tigre es cruel.

____

9. La flor es natural.

____

10. La banana es tropical.

____

EJERCICIO B

Change the following sentences to the singular, making all necessary changes.

1. Los padres son sinceros.

____

2. Los aviones son rápidos.

____

3. Los médicos son excelentes.

____

4. Las mujeres son norteamericanas.

____

5. Las lámparas son magníficas.

____

6. Los actores son populares.

____

7. Los teléfonos son necesarios.

____

8. Los muchachos son terribles.

____

9. Las fiestas son románticas.

____

10. Los accidentes son horribles.

____

EJERCICIO C

Go to Actividad D on page 29 of the student's book. Write the plural of each word that is written in the singular and the singular for each word that is written in the plural.

1. ____________	7. ____________	13. ____________
2. ____________	8. ____________	14. ____________
3. ____________	9. ____________	15. ____________
4. ____________	10. ____________	16. ____________
5. ____________	11. ____________	17. ____________
6. ____________	12. ____________	18. ____________

EXAMPLE: **la hamburguesa**
las hamburguesas

EJERCICIO D

Supply the matching noun. Use the correct article.

	MASCULINO	FEMENINO
1.	____________________	la madre
2.	el abuelo	____________________
3.	____________________	la tía
4.	el hijo	____________________
5.	____________________	la hermana
6.	el primo	____________________

EJERCICIO E

Match the expressions in the left column with an appropriate expression in the right column. Write the matching letter in the space provided.

1. Buenos días, señorita. ______
2. ¿Cómo te llamas? ______
3. ¿Cómo estás? ______
4. Hasta la vista, María. ______
5. Mi perro se llama Duque. ______
6. ¿Cómo se llaman las muchachas? ______

a. Mi gato se llama Tigre.
b. Hasta luego, Pablo.
c. Muy bien, gracias.
d. Buenos días, señor profesor.
e. Se llaman Lola y Margarita.
f. Me llamo Paco.
g. Regular.
h. Antonio es el abuelo.

EJERCICIO F

Using the family tree, complete these sentences.

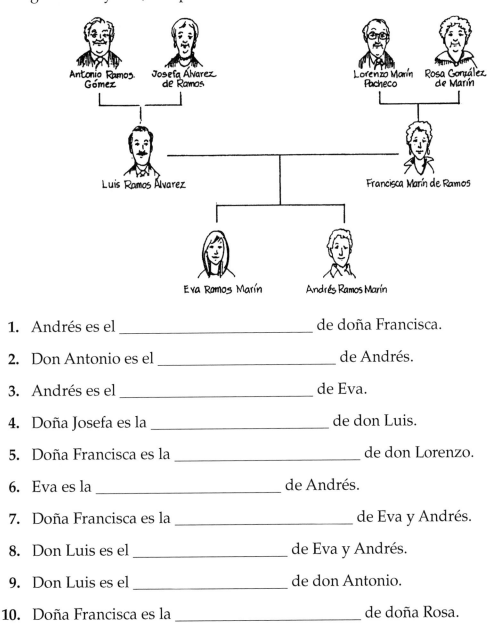

1. Andrés es el ______________________ de doña Francisca.
2. Don Antonio es el ______________________ de Andrés.
3. Andrés es el ______________________ de Eva.
4. Doña Josefa es la ______________________ de don Luis.
5. Doña Francisca es la ______________________ de don Lorenzo.
6. Eva es la ______________________ de Andrés.
7. Doña Francisca es la ______________________ de Eva y Andrés.
8. Don Luis es el ______________________ de Eva y Andrés.
9. Don Luis es el ______________________ de don Antonio.
10. Doña Francisca es la ______________________ de doña Rosa.

EJERCICIO G

Acróstico. Fill in the blanks with the Spanish meanings of the words below.

1. family
2. grandfather
3. necessary
4. aunt
5. airplane
6. nice
7. TV set
8. important
9. movies
10. opinion

1. F __ __ __ __ __ __ __
2. A __ __ __ __ __ __
3. N __ __ __ __ __ __ __ __ __
4. T __ __ __
5. Á __ __ __ __ __
6. S __ __ __ __ __ __ __ __ __
7. T __ __ __ __ __ __ __ __ __
8. I __ __ __ __ __ __ __ __ __ __
9. C __ __ __ __
10. O __ __ __ __ __ __ __

EJERCICIO H

Crucigrama de la familia. Fill in the correct words pertaining to family.

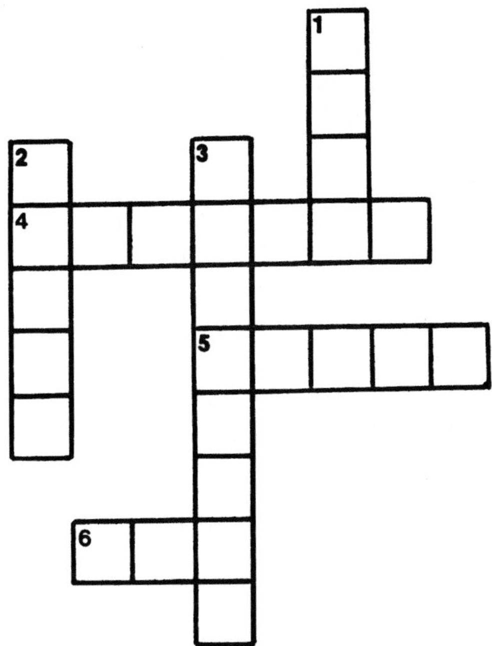

HORIZONTAL	VERTICAL
4. grandparents	**1.** son
5. mother	**2.** father
6. uncle	**3.** brothers (or brother and sister)

EJERCICIO I

The following 2 columns contain the same people expressed in a different way. Draw a line connecting these individuals.

A	B
1. el hijo de mi padre	**a)** mi tío
2. el padre de mi madre	**b)** mi tía
3. el hermano de mi madre	**c)** mi hermano
4. la hermana de mi madre	**d)** mi primo
5. el hijo de mi tío	**e)** mi abuelo

Nombre: ______________________ Clase: ____________ Fecha: ____________

EJERCICIO A

Your little brother Juanito is very curious. As you walk down the street, he constantly asks: **¿Qué es esto** (this)? Identify what you see.

Example: 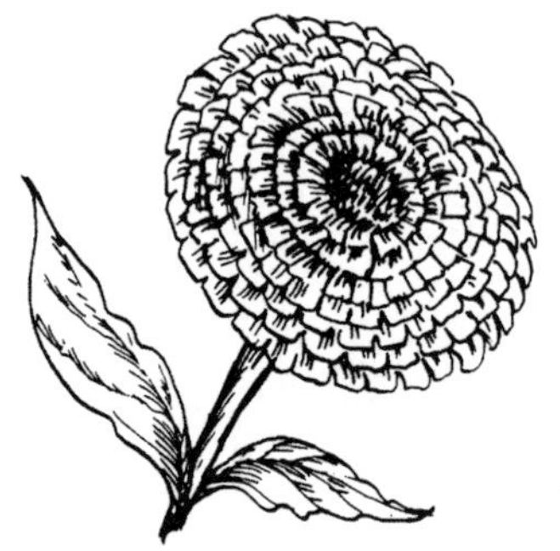 Juanito: —¿Qué es esto?
Usted: —Es una flor.

1.  ______________________

2.  ______________________

3.  ______________________________

4.  ______________________________

5.  ______________________________

6.  ______________________________

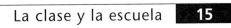

7.  ______________________________

8.  ______________________________

9.  ______________________________

10.  ______________________________

EJERCICIO B

Your Spanish teacher asks you to point out various classroom objects.

EXAMPLE: Profesora: —¿Qué es esto?
Usted: —Es un cuaderno.

1.  ______________________________

2. 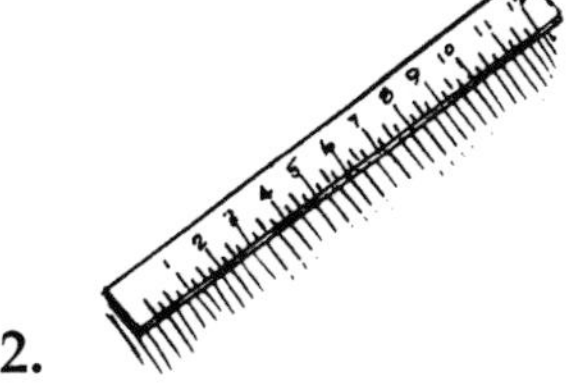 ______________________________

3.  ______________________________

4. 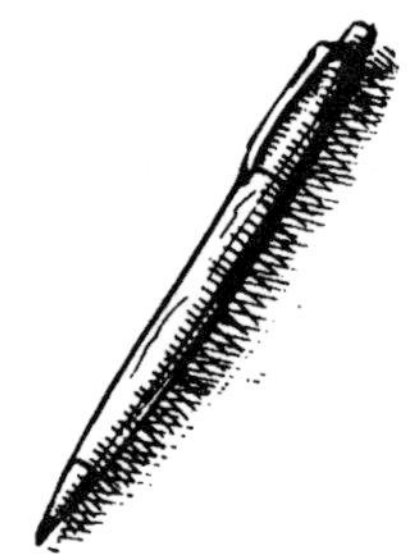 ______________________________

5.  ______________________________

6.  ______________________________

7.  ______________________________

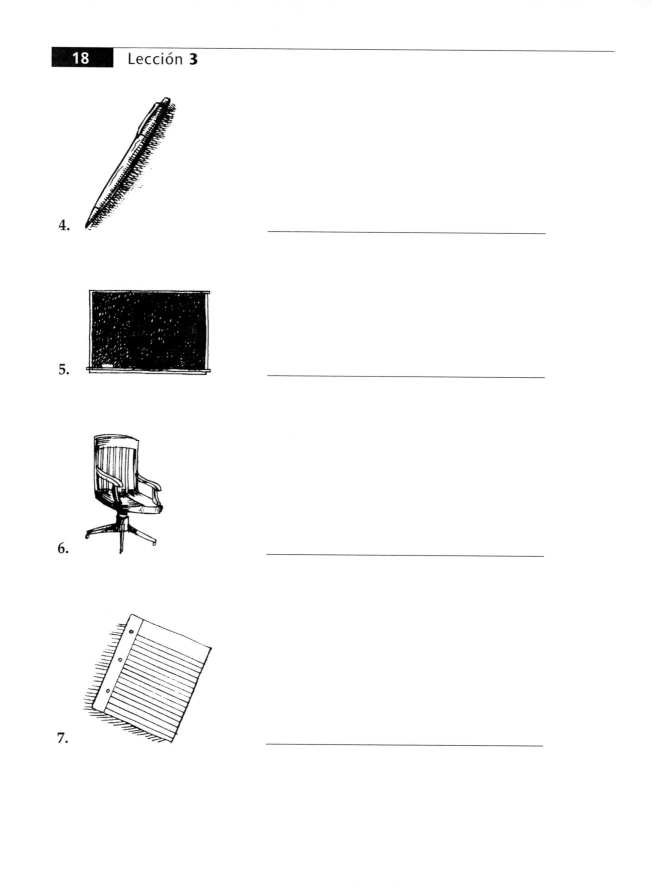

8.  ______________________

9. 

____

10.  ______________________

EJERCICIO C

Match the phrase in English to the phrase in Spanish.

1. the professor	**a.** el profesor	**b.** un profesor
2. a flower	**a.** la flor	**b.** una flor
3. an animal	**a.** el animal	**b.** un animal
4. a newspaper	**a.** el periódico	**b.** un periódico

5. the mosquito a. el mosquito b. un mosquito
6. the door a. la puerta b. una puerta
7. a hat a. el sombrero b. un sombrero
8. a garden a. el jardín b. un jardín
9. a lesson a. la lección b. una lección
10. the paper a. el papel b. un papel

EJERCICIO D

Change the indefinite article to the definite article.

EXAMPLE: una silla **la silla**

1. una flor ______________________________
2. un periódico ______________________________
3. una mujer ______________________________
4. un animal ______________________________
5. una fruta ______________________________
6. un mosquito ______________________________
7. un jardín ______________________________
8. una clase ______________________________
9. una lección ______________________________
10. un primo ______________________________

EJERCICIO E

Buscapalabras. In the puzzle, there are sixteen Spanish words. Circle them and list them below.

A	L	U	M	N	O	V	P	E
V	E	M	T	Í	A	E	I	S
I	C	A	T	Í	O	N	Z	C
Ó	H	P	U	E	R	T	A	U
N	E	A	T	I	Z	A	R	E
F	L	O	R	E	S	N	R	L
N	O	L	E	U	B	A	A	A
D	Í	A	N	Í	D	R	A	J

1. __________________
2. __________________
3. __________________
4. __________________
5. __________________
6. __________________
7. __________________
8. __________________
9. __________________
10. __________________
11. __________________
12. __________________
13. __________________
14. __________________
15. __________________
16. __________________

EJERCICIO F

Identify the people and objects in the picture.

Example: Hay un escritorio.

1. ______________________________
2. ______________________________
3. ______________________________
4. ______________________________
5. ______________________________
6. ______________________________
7. ______________________________
8. ______________________________
9. ______________________________
10. ______________________________
11. ______________________________
12. ______________________________

EJERCICIO G

Name what's in Francisco's school locker. Make two lists: A) school items and B) personal items.

A

1. ____________________
2. ____________________
3. ____________________
4. ____________________
5. ____________________
6. ____________________
7. ____________________

B

1. ____________________
2. ____________________
3. ____________________
4. ____________________
5. ____________________
6. ____________________
7. ____________________

Nombre: ______________________ Clase: __________ Fecha: __________

EJERCICIO A

Match each of the following statements with a picture, writing the corresponding number next to the picture that represents it.

1. Los amigos miran la televisión.
2. Enrique y Guillermo practican la música.

3. María visita a su mamá en el hospital.
4. Gloria compra un CD.
5. Nilda y Marta buscan una lente de contacto.
6. La mamá camina por el parque.
7. Los muchachos trabajan en casa.
8. Federico habla a la clase.
9. El papá llega a casa.
10. Los estudiantes entran en la escuela.

EJERCICIO B

Write full sentences about your own activities using your answers to Actividad A, page 53 of the student's book.

Example: Miro la television por la tarde.

1. mirar ____________________
2. comprar ____________________
3. escuchar ____________________
4. practicar ____________________
5. visitar ____________________
6. estudiar ____________________
7. desear ____________________
8. tomar ____________________
9. hablar ____________________
10. trabajar ____________________

EJERCICIO C

Change the infinitive to agree with the subject.

EXAMPLE: yo/comprar un videojuego.
Yo compro un videojuego.

1. nosotros/mirar la televisión

 ____

2. mamá/trabajar en una librería

 ____

3. Uds./estudiar la lección

 ____

4. María/practicar piano

 ____

5. mis padres/llegar tarde

 ____

6. Ud./buscar el libro

 ____

7. tú/entrar en la clase

 ____

8. mi hermano/usar el automóvil

 ____

9. yo/preparar la comida

 ____

10. la profesora/hablar francés

 ____

EJERCICIO D

Change the subject and verb to the plural.

1. La señora compra la comida.

____

2. Yo camino mucho.

____

3. Tú llegas tarde.

____

4. Él entra en la escuela.

____

5. Ud. toma café.

____

6. La secretaria busca el papel.

____

7. Ella practica las frases.

____

8. Mi padre trabaja mucho.

____

9. Yo pregunto en la clase.

____

10. El policía usa el teléfono.

____

EJERCICIO E

Answer the questions according to the prompt in parentheses.

EXAMPLE:

¿Las señoras compran la comida? (la Señora Méndez ☑, la Señora García ☒)
→ **La Señora Méndez compra la comida, pero la Señora García no compra la comida.**

1. ¿Uds. llegan temprano? (yo ☑, Natalia ☒)

____

2. ¿Ellos preguntan mucho? (Javier ☑, Jaime ☒)

____

3. ¿Ustedes toman café? (mi amiga ☑, yo ☒)

____

4. ¿Uds. miran la televisión? (ellas ☑, tú y yo ☒)

____

5. ¿Uds. contestan bien? (yo ☑, mis amigos ☒)

____

6. ¿Los alumnos estudian mucho? (Juan Carlos ☑, Gisela ☒)

____

7. ¿Las muchachas bailan en la fiesta? (Margarita ☑, las hermanas Pérez ☒)

____

8. ¿Los muchachos compran un automóvil? (los primos ☑, Heriberto ☒)

____

9. ¿Ellos hablan francés? (mi madre ☑, mi padre ☒)

____

10. ¿Las estudiantes escuchan con atención? (Daniela ☑, Estafanía y yo ☒)

____

EJERCICIO F

Make the following sentences negative. Then write a sentence to make each statement affirmative.

EXAMPLE: La mujer trabaja en el hospital.
La mujer no trabaja en el hospital.
Ella trabaja en el banco.

1. Mi tía habla italiano.

____

____

2. Mis amigos toman el tren.

____

____

3. Yo deseo trabajar en casa.

____

____

4. Uds. llegan tarde.

____

____

5. Mi hermana camina por la ciudad.

____

____

6. Dolores baila en la escuela.

____

____

7. Mi mamá canta en la radio.

8. Nosotros buscamos el papel.

9. Juanito y José son primos.

10. Ud. estudia en casa.

EJERCICIO G

Change the following sentences to questions.

1. Tú trabajas en casa.

2. Ella camina por el parque.

3. Ellos compran chocolate.

4. La profesora habla rápidamente.

5. Uds. preparan la comida.

____

6. Ud. toma la medicina.

____

7. María escucha con atención.

____

8. Uds. son norteamericanos.

____

9. Ricardo mira por la ventana.

____

10. Julio y Luis entran por la puerta.

____

EJERCICIO H

Scrambled sentences. Each set of boxes contains a scrambled sentence. Rearrange the boxes in each set so that the words make a complete sentence.

1.

USAN	LOS HOMBRES Y LAS MUJERES	UNIDOS
AUTOMÓVILES	ESTADOS	EN LOS

____

____

2.

PARA	AUTOMÓVILES	AL
USAN	TRABAJO	IR

3.

HOSPITAL	LOS MÉDICOS	AL
VAN	AUTOMÓVIL	EN

4.

LOS HOMBRES	LAS MUJERES	Y
DE COMPRAS	EN AUTOMÓVIL	VAN

5.

AUTOMÓVILES	GASOLINA	GRANDES
MUCHA	USAN	LOS

6.

LA	UN	ES
SOLUCIÓN	PEQUEÑO	AUTOMÓVIL

Nombre: ______________________ Clase: ____________ Fecha: ____________

5

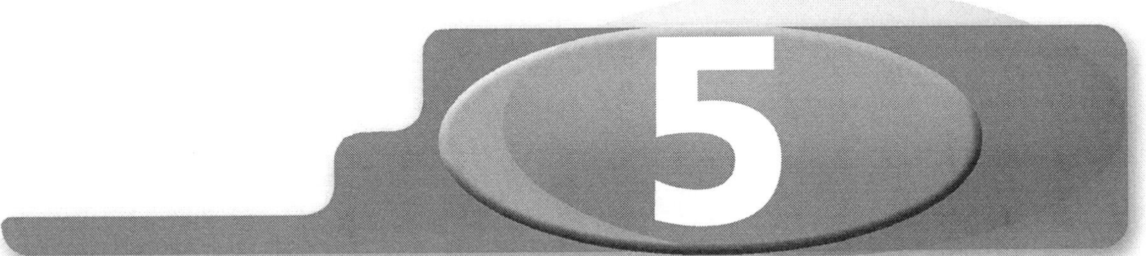

EJERCICIO A

What's in the park?

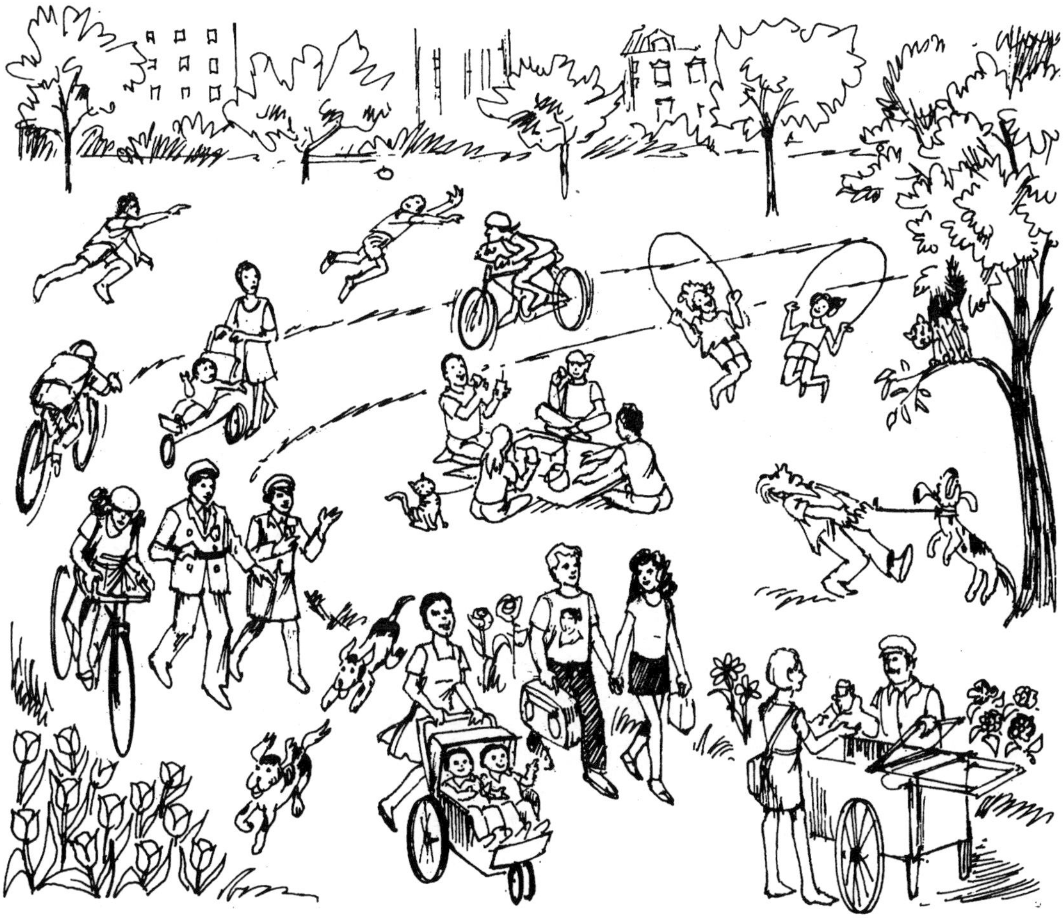

En el parque hay...

1. ______________________ muchachos.
2. ______________________ muchachas.
3. ______________________ perros.
4. ______________________ gatos.
5. ______________________ bicicletas.
6. ______________________ estéreo.
7. ______________________ bebés.
8. ______________________ flores.

EJERCICIO B

Look at these images and write a sentence to represent how many of each item you or your teacher will need for the first day of classes.

EXAMPLE: yo + 3 +  **Yo necesito tres cuadernos.**

1. La profesora + 15 +  ______________________________

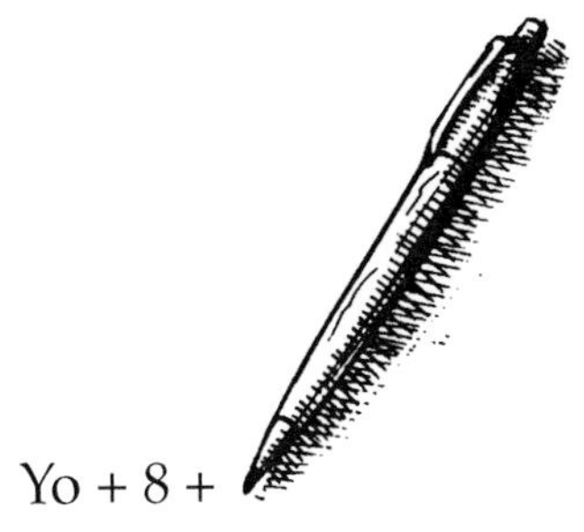

2. Yo + 8 +

3. La profesora + 6 + ____________________________

4. La profesora + 9 + ____________________________

5. Yo + 23 + ____________________________

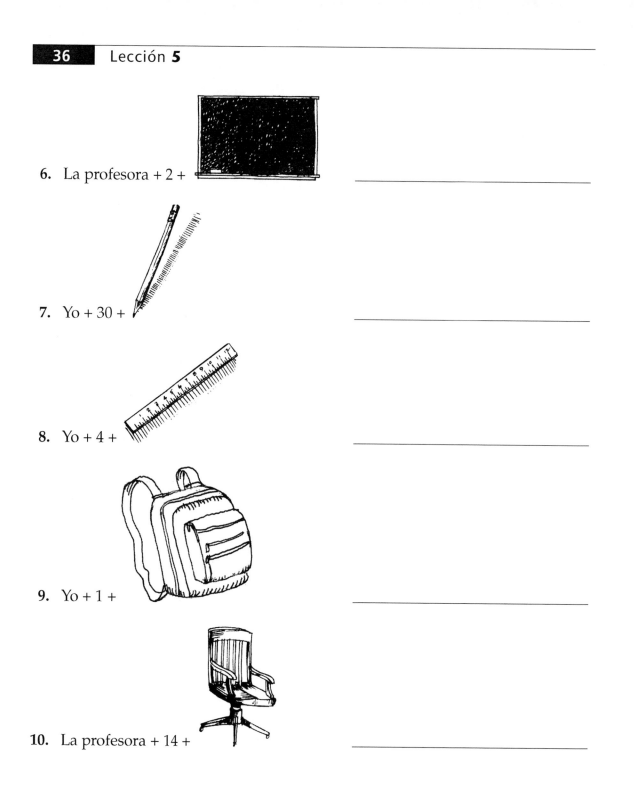

6. La profesora + 2 +  ______________________________

7. Yo + 30 +  ______________________________

8. Yo + 4 + 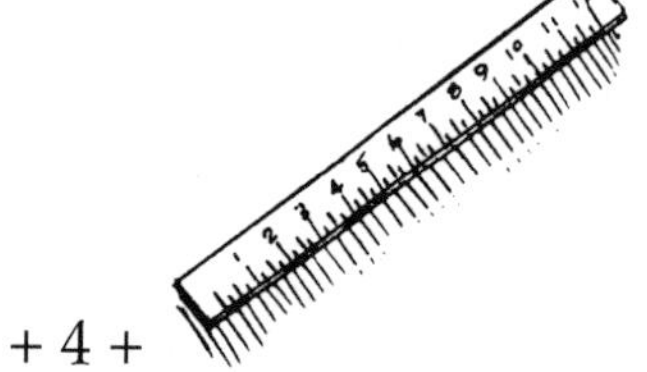 ______________________________

9. Yo + 1 +  ______________________________

10. La profesora + 14 +  ______________________________

EJERCICIO C

Write the numbers in the series.

1. uno, dos, tres, ______________, ______________, ______________
2. dos, cuatro, seis, ______________, ______________, ______________
3. uno, tres, cinco, ______________, ______________, ______________
4. cinco, diez, ______________, ______________, ______________
5. uno, dos, cuatro, ______________, ______________, ______________
6. diez, nueve, ocho, ______________, ______________, ______________

EJERCICIO D

An escaped prisoner is attempting to flee the country and cross the border into Mexico. A Mexican official is broadcasting the license plate number of one stolen car of special interest: SEIS, UNO, CINCO, DOS, SEIS, SEIS. Read the following license plates and then circle the number the authorities are looking for.

1. 9940 952
2. 482 519
3. 5320 157
4. 653 2211
5. 397 973
6. 828 472
7. 236 891
8. 615 266

EJERCICIO E

Here are some phone numbers. Say them and then write them out in Spanish.

EXAMPLE: (718) 209 1854
siete uno ocho dos cero nueve uno ocho cinco cuatro

1. (718) 208 3874

____

2. (212) 113 5687

____

3. (805) 342 6701

____

4. (516) 998 3214

____

5. (307) 763 8520

____

6. (801) 576 1113

____

7. (890) 890 2222

____

8. (201) 434 1010

____

9. (817) 325 6690

____

10. (609) 220 8314

____

EJERCICIO F

How good are you in arithmetic? Write out these operations in Spanish supplying the correct answer.

EXAMPLE: $7 - 2 =$ **Siete menos dos son cinco.**

1. $9 - 5 =$ ____________________
2. $8 + 1 =$ ____________________
3. $15 \div 5 =$ ____________________
4. $4 \times 3 =$ ____________________
5. $30 - 20 =$ ____________________
6. $16 + 2 =$ ____________________
7. $30 \div 3 =$ ____________________
8. $14 \times 2 =$ ____________________
9. $19 - 1 =$ ____________________
10. $11 + 0 =$ ____________________

EJERCICIO G

You just made some new friends during our semester abroad in Valencia, Spain. Write down your friends' phone numbers and say them aloud to verify that they are correct.

EXAMPLE: 22-59-03
veintidós, diecinueve, cero tres

1. ____________________
2. ____________________
3. ____________________
4. ____________________
5. ____________________

EJERCICIO H

Los Gigantes have just finished playing **Los Atléticos**. Write out the score in Spanish, inning by inning, and then figure out the final score.

Entrada	**1**	**2**	**3**	**4**	**5**	**6**	**7**	**8**	**9**	**Anotación final**
Gigantes	0	0	1	2	1	0	0	0	5	
Atléticos	1	3	0	0	1	2	0	0	1	

	LOS GIGANTES	LOS ATLÉTICOS
1.	cero	uno
2.		
3.		
4.		
5.		
6.		
7.		
8.		
9.		

Anotación final __________

EJERCICIO I

¿Sí o no? Mr. Molina is correcting the math papers of his fourth-grade students. If a result is wrong, fill in the correct answer.

1. Cuatro y tres son **siete.** __________
2. Cinco por cinco son **veinte.** __________

3. Nueve menos dos son **seis.** ______

4. Ocho dividido por cuatro son **dos.** ______

5. Once y doce son **veintitrés.** ______

6. Quince menos cinco son **diez.** ______

7. Tres por dos son **seis.** ______

8. Diez dividido por diez es **cero.** ______

9. Quince y catorce son **treinta.** ______

10. Diecisiete menos dieciséis es **uno.** ______

EJERCICIO J

Write the numbers that come before and after the following numbers.

1. ______ dos ______
2. ______ cinco ______
3. ______ ocho ______
4. ______ diez ______
5. ______ doce ______
6. ______ quince ______
7. ______ diecisiete ______
8. ______ veinte ______
9. ______ veintitrés ______
10. ______ veintinueve ______

EJERCICIO K

Rubén is very well organized. He writes down all the important dates on his calendar. When do the following events occur?

MAYO 1991						
LUNES	MARTES	MIÉRCOLES	JUEVES	VIERNES	SÁBADO	DOMINGO
		1 Examen de español	2	3	4 Función de teatro	5
6 Lección de música	7 Concierto de rock	8	9 Médico	10	11	12 Día de las Madres
13	14	15	16	17	18 Fiesta en casa de Pepe	19
20	21	22 Cumpleaños de María	23	24 Dentista	25	26
27	28 Visita a los abuelos	29 Examen de Inglés	30	31		

EXAMPLE: **¿Cuándo es el Día de las Madres?**
Es el día doce.

1. ¿Cuándo es la visita al médico?

2. ¿Cuándo es el concierto de rock?

3. ¿Cuándo es el examen de español?

4. ¿Cuándo es la fiesta en casa de Pepe?

5. ¿Cuándo es la visita al dentista?

____

6. ¿Cuándo es la lección de música?

____

7. ¿Cuándo es la visita a los abuelos?

____

8. ¿Cuándo es el examen de inglés?

____

9. ¿Cuándo es el cumpleaños (*birthday*) de María?

____

10. ¿Cuándo es la función (*show*) de teatro?

____

Nombre: ______________________ Clase: ____________ Fecha: ____________

EJERCICIO A

All the clocks in this store have to be set. They all have different times. Can you tell the time on each one?

1. Son las dos / Esa la una

2. Son las dos y treinta

3. Son las tres y cuarenta y cinco.
4. Son las cuatro quince
5. ______
6. ______
7. ______
8. ______
9. ______
10. ______

EJERCICIO B

Un día en la vida de Elena. Describe Elena's busy day. Tell what she does and at what time.

1. 

2. 

3. 

4. 

5.

6.

7.

8.

9.

10.

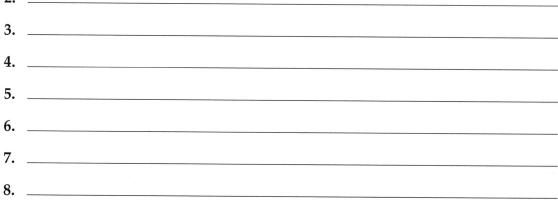

1. A las ocho y media Elena camina a la escuela.
2. ______________________________
3. ______________________________
4. ______________________________
5. ______________________________
6. ______________________________
7. ______________________________
8. ______________________________

9. ______________________________

10. ______________________________

EJERCICIO C

¿A qué hora llega el tren? Tell at what time the train arrives according to the following schedule.

EXAMPLE: Madrid: 11:15 A.M.
El tren llega a Madrid a las once y cuarto de la mañana.

1. Barcelona: 7:35 A.M.

____

2. Málaga: 8:20 A.M.

____

3. Zaragoza: 12:15 A.M.

____

4. Bilbao: 4:39 P.M.

____

5. Granada: 5:50 A.M.

____

6. Cádiz 1:17 P.M.

____

7. Burgos: 6:12 A.M.

____

8. Salamanca: 12:00 midnight

____

9. Segovia: 2:30 P.M.

____

10. Toledo: 10:45 P.M.

____

EJERCICIO D

Answer the following questions according to the time that each clock shows.

1. ¿A qué hora desayunas?

____

2. ¿A qué hora llegas a la escuela?

____

3. ¿A qué hora es tu clase de español?

____

4. ¿A qué hora es tu clase de inglés?

____

5. ¿A qué hora terminan las clases?

6. ¿A qué hora regresas a casa?

7. ¿A qué hora miras la televisión?

EJERCICIO E

Are you an early bird or a night owl? Take this survey to find out. Answer each question and then add up your points.

1. ¿Cuándo estudias las lecciones?
   - **a.** a las siete de la mañana (1 punto)
   - **b.** a las tres de la tarde (3 puntos)
   - **c.** a las diez de la noche (5 puntos)

2. ¿Cuándo hablas por teléfono?
   - **a.** a las ocho de la mañana (1 punto)
   - **b.** a las cinco de la tarde (3 puntos)
   - **c.** a las nueve de la noche (5 puntos)

3. ¿Cuándo preparas la tarea?
   - **a.** a las seis de la mañana (1 punto)
   - **b.** a las cuatro de la tarde (3 puntos)
   - **c.** a las once de la noche (5 puntos)

4. ¿Cuándo llegas a casa durante los fines de semana?
   a. a las siete de la noche (1 punto)
   b. a las nueve de la noche (3 puntos)
   c. a las doce de la mañana (5 puntos)

5. ¿Cuándo miras la televisión?
   a. a las nueve de la mañana (1 punto)
   b. a las cinco y media de la tarde (3 puntos)
   c. a las diez de la noche (5 puntos)

6. ¿Cuándo mandas correos electrónicos?
   a. a las seis y cuarto de la mañana (1 punto)
   b. a las dos de la tarde (3 puntos)
   c. a las once y media de la noche (5 puntos)

7. ¿Cuándo lees una revista?
   a. a las ocho de la mañana (1 punto)
   b. a la una de la tarde (3 puntos)
   c. a las once de la noche (5 puntos)

8. ¿Cuándo miras películas?
   a. a las nueve de la mañana (1 punto)
   b. a las cuatro de la tarde (3 puntos)
   c. a las diez de la noche (5 puntos)

9. ¿Cuándo escribes cartas a tu familia?
   a. a las diez de la mañana (1 punto)
   b. a las cinco de la tarde (3 puntos)
   c. a las nueve y media de la noche (5 puntos)

10. ¿Cuándo usas la computadora?
   a. a las cinco de la mañana (1 punto)
   b. a la una de la tarde (3 puntos)
   c. a las doce de la noche (5 puntos)

➔ If you scored between 10 and 20 points, you are an early bird!
➔ If you scored between 21 and 35 points, you are neither an early bird nor a night owl!
➔ If you scored between 36 and 50 points, you are a night owl!

EJERCICIO F

El viaje en autobús (*Thebustrip*)

¿A qué hora llega? At what time does it arrive?
¿A qué hora sale? At what time does it leave?

A tourist bus starting out from Cádiz travels through Spain. The arrival and departure times are given for each city. Write down when the bus arrives at and leaves from the cities indicated.

EXAMPLE: Málaga 8:10 **Llega a Málaga a las ocho y diez.**
8:30 **Sale de Málaga a las ocho y treinta.**

1. Granada 9:15 ______
   9:20 ______
2. Córdoba 10:20 ______
   10:35 ______
3. Valencia 12:00 ______
   12:30 ______
4. Toledo 1:45 ______
   2:00 ______

5. Madrid 2:50 ______________________

3:05 ______________________

6. Segovia 3:55 ______________________

4:10 ______________________

7. Burgos 5:05 ______________________

5:20 ______________________

8. Bilbao 6:30 ______________________

EJERCICIO G

The following arrivals and departures are being announced over the loudspeaker. Repeat them aloud.

1. El vuelo de Aeroperú llega a la 1:00.
2. El vuelo de Mexicana llega a las 2:45.
3. El vuelo de Aerolíneas Argentinas llega a las 7:30.
4. El vuelo de Iberia llega a las 12:15.
5. El vuelo de Aero México llega a las 3:10.
6. El vuelo de Dominicana llega a las 8:50.
7. El vuelo de Ecuatoriana sale a las 10:00.
8. El vuelo de Avianca sale a las 9:25.
9. El vuelo de Viasa sale a las 4:35.
10. El vuelo de Varig sale a las 11:20.

EJERCICIO H

Write out in Spanish at what time you usually do the following activities.

EXAMPLE: comer el desayuno
Como el desayuno a las siete de la mañana.

1. caminar a la parada de autobús

____

2. tomar el autobús

____

3. entrar en la escuela

____

4. estudiar español en la biblioteca

____

5. comer el almuerzo

____

6. llegar a casa

____

7. usar la computadora

____

8. practicar deportes

____

9. preparar la tarea

____

10. mirar la televisión

____

EJERCICIO I

¡Estoy tarde! You're late for an appointment. Say the time on each of the digital clocks below. Then express when your appointment was scheduled for.

EXAMPLE: **Son las dos y cinco.**
¡Estoy tarde! Tengo una cita **a las dos**.

2:05	5:05	6:05
10:05	3:10	4:10
8:10	2:20	5:20
7:20	11:20	12:25

1. ______________________

2. ______________________

3. ______________________

4. ______________________

5. ______________________

6. ______________________

7. ______________________

8. ______________________

9. ______________________

10. ______________________

11. ______________________

12. ______________________

Nombre: ______________________ Clase: ____________ Fecha: ____________

EJERCICIO A

Change the infinitive to agree with the subject.

1. nosotros/aprender español

____

2. mamá/comer muchas frutas

____

3. yo/ver el parque

____

4. Ud./responder a la pregunta

____

5. mis padres/beber agua fría

____

6. Francisco/comprender la lección

____

7. los muchachos/creer al profesor

____

8. tú/vender la casa

____

9. Uds./querer el periódico

____

10. yo/ver el tren

____

EJERCICIO B

Change the subject and verb to the corresponding plural or singular form as needed.

1. La alumna aprende mucho.

____

2. Nosotros sabemos la regla.

____

3. Tú corres por la calle.

____

4. Ellas beben soda.

____

5. Los muchachos beben café.

____

6. La secretaria comprende las instrucciones.

____

7. Ustedes venden las blusas.

____

8. Mi padre cree la historia.

____

9. Yo leo el periódico.

____

10. Los hombres ven el edificio.

____

EJERCICIO C

Create a question using the cues, then answer according to the cue in parenthesis. Follow the example.

EXAMPLE: ellos / platos (sí)
¿Venden platos? → Sí, venden platos.

1. Carlos / los videojuegos (sí)

____

2. tú / televisores (no, radios)

____

3. María y Ana / blusas (no, camisas)

____

4. Rosa / bicicletas (sí)

____

5. usted / vaqueros (no, pantalones cortos)

____

6. Milagros / teléfonos (sí)

____

7. José y Santiago / computadoras (sí)

8. nosotros / libros (no, cuadernos)

EJERCICIO D

¡Pobre Juan! He is always doing something wrong in school. Complete each statement with a verb in the singular and a word or phrase that makes sense.

1. Los alumnos aprenden la lección, pero Juan...

2. Los estudiantes llegan temprano a la escuela, pero Juan...

3. Las señoritas corren por la calle y Juan...

4. Uds. responden bien, pero Juan...

5. Nostras comprendemos el examen, pero Juan...

7. Los muchachos escuchan atentamente al profesor, pero Juan...

8. Uds. no hablan durante el examen, pero Juan...

9. Ellos leen el libro en la biblioteca, pero Juan...

____

10. Las muchachas hacen la tarea, pero Juan...

____

EJERCICIO E

Make the following sentences negative.

1. La mujer aprende francés.

____

2. Mis amigos comen en la cafetería.

____

3. Yo corro con mi perro.

____

4. Uds. responden en inglés.

____

5. Mi hermana bebe mucho café.

____

6. Dolores comprende las palabras.

____

7. Mi hermano cree la historia.

____

8. Nosotros vendemos un escritorio.

____

9. Juanito y José leen libros españoles.

____

10. Ud. quiere un helado de chocolate.

____

EJERCICIO F

Match the statements to the questions.

A

1. Yo aprendo español.
2. Ella come ensalada.
3. Ellos corren rápidamente.
4. La profesora responde a los estudiantes.
5. Uds. beben mucha leche.
6. Ella comprende la lección.
7. María cree la historia.
8. Uds. venden sándwiches.
9. Ricardo lee una novela.
10. Julio y Luis ven un perro en el parque.

B

a. ¿Qué come ella?
b. ¿Qué comprende ella?
c. ¿Qué cree María?
d. ¿Quienes corren rápidamente?
e. ¿Qué lee Ricardo?
f. ¿Qué venden Uds.?
g. ¿Qué ven en el parque?
h. ¿Qué beben Uds.?
i. ¿Quién responde a los estudiantes?
j. ¿Qué aprendes?

EJERCICIO G

Using an **-er** verb, tell what each person is doing.

1.  María

____

2. 

Los muchachos

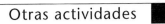

3. 

El policía

4. 

Antonio

5. 

El bebé

6. 

La niña

7. 

La señorita

8. 

Los estudiantes

9. 

Yo

El turista

10. ______________________________

EJERCICIO H

Each set of boxes contains a scrambled sentence. Rearrange the boxes in each set so that the words make a complete sentence.

1.

PEPE	DOCE	DE
AÑOS	UN MUCHACHO	ES

____

____

2.

PERRO	LOBO	MUY
UN	INTELIGENTE	ES

____

____

3.

Y	MUY	COME
GRANDE	MUCHO	ES

____

____

4.

PARA	LA COMIDA	TRABAJA
DE LOBO	COMPRAR	PEPE

5.

TODOS	PEPE	LOS
DÍAS	PERIÓDICOS	VENDE

6.

TAREAS	Y PREPARA	LA
ESCUELA	LAS	PARA

Nombre: ______________________ Clase: ____________ Fecha: ____________

EJERCICIO A

Write a suitable color for the following objects.

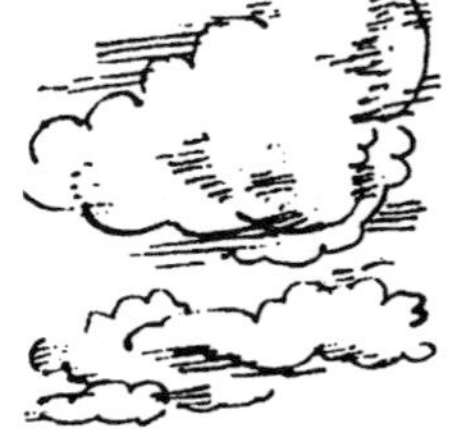

1. ______________________

2. ______________________

3. ______________________

4. ______________________

5. ______________________

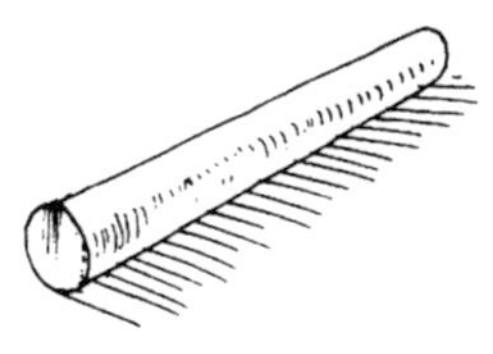

6. ______________________

7. ______________________

8. ______________________

9. ______________________

EJERCICIO B

Write a complete sentence in which you give the color of the following.

EXAMPLE: **El televisor es negro.**

1. la casa ____________________
2. la carne ____________________
3. el árbol ____________________
4. la banana ____________________
5. la leche ____________________
6. el cielo ____________________
7. el océano ____________________
8. el teléfono ____________________

EJERCICIO C

You are watching a **telenovela** on TV, but your cable reception is not is good and some of the dialog keeps dropping out. Fill in the blanks in this conversation with the correct form of the adjective in parentheses.

MARTINA: ¡Ay, papá! Estoy ________________ (**1.** nervioso). El examen es ________________ (**2.** difícil).

PADRE: Sí, mi amor, pero es un examen ________________ (**3.** necesario).

MARTINA: Es verdad. Y todos los alumnos son ________________ (**4.** inteligente).

PADRE: Y tú eres la muchacha más inteligente. Y también la más ________________ (**5.** bonito).

MARTINA: Gracias, Papá. ¿Dónde está tu amigo, el señor ________________?
6. (norteamericano)

PADRE: Está en la oficina, en una reunión con el director de la compañía ________________.
7. (español)

MARTINA: ¿Es una reunión muy ________________?
8. (importante)

PADRE: Sí. Hay un problema ________________.
9. (serio)

MARTINA: Buena suerte, papá.

PADRE: Gracias. Hasta luego Martina.

EJERCICIO D

Emphasize the quality of something or someone by showing the opposite.

Example: Mi hermana es bonita. **No es fea.**

1. Lola es inteligente. No es ________________.
2. El muchacho es alto. No es ________________.
3. Mis tíos son ricos. No son ________________.
4. María es rubia. No es ________________.
5. Mi padre es gordo. No es ________________.
6. El estudiante es inteligente. No es ________________.
7. Las palabras son fáciles. No son ________________.
8. Los libros son nuevos. No son ________________.
9. El gato es negro. No es ________________.
10. Las bicicletas son nuevas. No son ________________.

EJERCICIO E

Here are some opposites. Can you label them?

1. ______ ______

2. ______ ______

1 + 3 =

5762.03
x 382.96

3. ______ ______

4. ______ ______

5. ______ ______

6. ______ ______

7. ______ ______

8. ______ ______

EJERCICIO F

Underline the adjective that correctly describes the subject.

1. Las avenidas son (grande, grandes).
2. Mis hermanas son (bonito, bonita, bonitos, bonitas).
3. El hombre es (rico, rica, ricos, ricas).
4. La lección es (difícil, difíciles).
5. El árbol es (verde, verdes).
6. Los gatos son animales (pequeño, pequeña, pequeños, pequeñas).
7. Los profesores de mi escuela son (inteligente, inteligentes).
8. La pizza y los espaguetis son comidas (italiano, italiana, italianos, italianas).
9. Tengo unas plumas (rojo, roja, rojos, rojas).
10. Las escuelas de mi ciudad son (moderno, moderna, modernos, modernas).

EJERCICIO G

Write four sentences describing the people and animals pictured below. Use the adjectives you have learned.

1. ______________________________

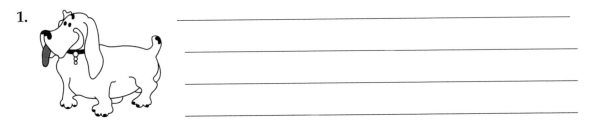

____

____

____

2. ______________________________

____

____

____

3. 

4. 

EJERCICIO H

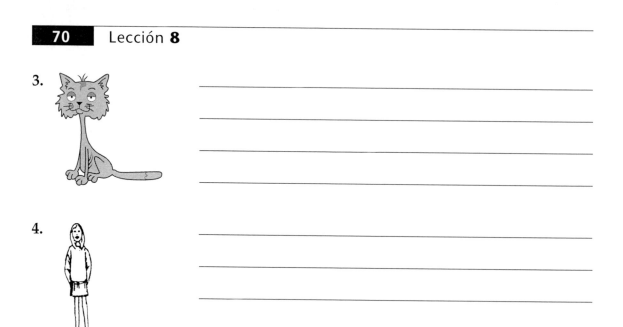

Think about four famous people or characters. Write five or more words to describe each person.

Famous Person/Character	Name	Description
Movie star		
Singer		
TV person		
Cartoon character		

Nombre: ______________________ Clase: ____________ Fecha: ____________

EJERCICIO A

It's career day and all the students are indicating what they want to be when they grow up. Write each person's dreams in Spanish.

1. Lupe quiere ser ______________________.

2. Paco y Geraldo quieren ser ______________.

3. Javier quiere ser ______________________.

4. Maritza y Mariluz quieren ser ________.

5. Armando quiere ser ________________.

6. El hermano de Raúl quiere ser ________.

7. Angel quiere ser ________________.

8. Ana quiere ser ________________.

9. Carmen quiere ser ____________________.

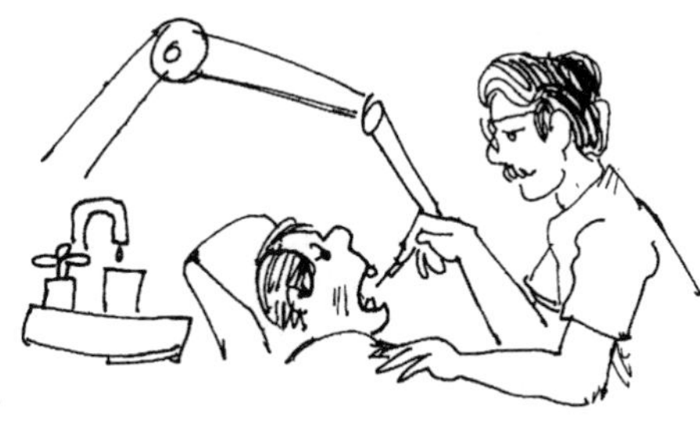

10. Miguel quiere ser ____________________.

EJERCICIO B

Using the correct form of the verb **ser**, tell where everyone is from.

EXAMPLE: Manuel/Puerto Rico
Manuel es de Puerto Rico.

1. María/la República Dominicana

____

2. yo/España

____

3. tú/Cuba

____

4. él/Costa Rica

____

5. ella/Venezuela

____

6. Ud./Colombia

____

7. nosotros/los Estados Unidos

____

8. Uds./Chile

____

9. ellos/Guatemala

____

10. Lola y Rosa/Honduras

____

EJERCICIO C

Complete with the proper form of **ser**.

1. Yo ______________________ norteamericano.
2. Luis y yo ______________________ los hijos del Sr. González.
3. Francisco y yo ______________________ hermanos.
4. ¿______________________ ella tu prima?
5. Mi madre ______________________ francesa.
6. La familia no ______________________ grande.
7. ¿______________________ ustedes abogados?
8. Tú ______________________ un alumno inteligente.
9. Pablo y yo ______________________ ricos.
10. Ellos ______________________ médicos.

EJERCICIO D

Answer the following questions either affirmatively or negatively.

EXAMPLE: ¿Es Ud. alto?
No, yo soy bajo.

1. ¿Es grande la escuela?

____

2. ¿Son blancas las rosas?

____

3. ¿Son inglesas tus amigas?

____

4. ¿Es Ud. mexicano?

____

5. ¿Es joven la abuela?

____

6. ¿Es Ud. un alumno inteligente?

____

7. ¿Son pequeños los elefantes?

____

8. ¿Es azul su automóvil?

____

9. ¿Son las flores feas?

____

10. ¿Es difícil la lección?

____

EJERCICIO E

Make the following sentences plural.

1. Él es cubano.

2. Yo soy profesor.

3. ¿Es Ud. dentista?

4. ¿No eres tú francés?

5. Ella es abogada.

6. Mi tía es italiana.

7. Mi hermana es secretaria.

8. El muchacho es el hijo de Pablo.

9. Tú eres inteligente.

10. Yo soy norteamericano.

EJERCICIO F

Make the following sentences singular.

1. Las familias son grandes.

   ____

2. Somos artistas.

   ____

3. ¿Qué son ustedes?

   ____

4. Ellas son españolas.

   ____

5. Las lecciones son fáciles.

   ____

6. Los papeles son blancos.

   ____

7. ¿Son Uds. argentinos?

   ____

8. Ellos son actores.

   ____

9. Uds. son muy inteligentes.

   ____

10. Nosotros somos enfermeros.

   ____

Nombre: ______________________ Clase: __________ Fecha: __________

10

EJERCICIO A

Using the **-ir** verbs you have learned, tell what the following are doing.

1. El policía __________ la puerta.

2. El gato __________ del jardín.

3. Yo __________ de la escuela.

4. Mi mamá __________ las frutas.

5. El perro __________ en la casa.

6. La secretaria __________ en el papel.

7. La enfermera __________ al paciente. **8.** La abuela __________ la carta.

9. El bombero __________ al edificio. **10.** La profesora __________ la pintura.

EJERCICIO B

Answer each question according to the cue in parentheses.

EXAMPLE: ¿Quién toca la puerta? (ella) → **Ella toca la puerta.**

1. ¿Quién abre la ventana? (ella) ______________________________

2. ¿Quién sube la escalera? (el policía) ______________________________

3. ¿Quién divide el pan? (yo) ______________________________

4. ¿Quién cubre la cama? (Ud.) ______________________________

5. ¿Quién escribe una carta? (mis padres) ______________________________

6. ¿Quién describe la situación? (nosotros) ______________________________

7. ¿Quién recibe el dinero? (tú) ______________________________

8. ¿Quién vive en España? (el abogado) ______________________

9. ¿Quién sale de la casa? (ellas) ______________________

10. ¿Quién vive en Italia? (tú) ______________________

EJERCICIO C

Change the subject and verb to the plural.

1. La alumna abre la puerta.

____

2. Tú recibes el dinero.

____

3. Yo subo al árbol.

____

4. Él escribe una carta.

____

5. Ud. trae la sopa.

____

6. La secretaria vive lejos.

____

7. Ella sale de la escuela.

____

8. Mi padre pone la mesa.

____

9. Yo sé mucho.

____

10. El hombre da regalos a su familia.

____

EJERCICIO D

Martica and Yesenia always have difference of opinion. Finish Yesenia's statements using the right forms of the verbs.

Martica: Las tareas de las clases siempre son muy difíciles.
Yesenia: Pero la tarea de esta noche **no es muy difícil.**

1. Martica: Los alumnos traen los libros.
   Yesenia: Pero el alumno nuevo no ____________________.
2. Martica: Nosotros dividimos el trabajo en la clase de ciencias.
   Yesenia: Pero Héctor no ____________________.
3. Martica: Las profesoras suben al segundo piso.
   Yesenia: Pero la profesora de arte no ____________________.
4. Martica: Nuestras amigas viven en Buenos Aires.
   Yesenia: Pero Penélope no ____________________.
5. Martica: Las chicas de la clase saben mucho.
   Yesenia: Pero Isabel no ____________________.
6. Martica: Ellas ponen los libros en el escritorio.
   Yesenia: Pero yo no ____________________.
7. Martica: Los muchachos reciben buenas notas.
   Yesenia: Pero Heriberto no ____________________.
8. Martica: Ustedes describen bien la escuela.
   Yesenia: Pero Ud. no ____________________.
9. Martica: Los directores viven en un edificio cerca de la escuela.
   Yesenia: Pero el director principal no ____________________.
10. Martica: Las alumnas salen del tren.
    Yesenia: Pero Mariluz no ____________________.

EJERCICIO E

Complete the sentences.

1. (is leaving) El avión ______________________ ahora.
2. (receive) Mis hermanas ______________________ muchos regalos.
3. (doesn't cover) Ana ______________________ su cuaderno.
4. (describe) Ella no ______________________ su escuela.
5. (bring) Yo ______________________ la comida.
6. (live) Uds. ______________________ en California.
7. (know) Mis padres ______________________ de todo.
8. (give) Yo ______________________ el dinero al señor de la tienda.
9. (write) Nosotros ______________________ muchas cartas.
10. (open) Luis y Manuel ______________________ la ventana.

EJERCICIO F

Answer the following questions.

1. ¿Dónde vives?

   ____

2. ¿Cuándo escribes correos electrónicos?

   ____

3. ¿Cuándo recibes un regalo?

   ____

4. ¿Qué sabes hacer muy bien?

   ____

5. ¿Qué llevas a la escuela todos los días?

6. ¿Cuándo preparas la tarea de la escuela?

7. ¿A qué hora sales de la escuela?

8. ¿Cuál es el regalo de cumpleaños perfecto para tu mejor amigo/a?

9. ¿Quién divide el trabajo en la clase de ciencias?

10. ¿Qué deportes practicas?

EJERCICIO G

Write a question based on each statement. Then answer in the negative and write an alternate ending to the statement. Follow the example.

EXAMPLE: escribir una frase en la pizarra (el profesor)
→ **¿El profesor escribe una frase en la pizarra?**
→ **No, el profesor no escribe una frase en la pizarra. El profesor escribe una frase en el papel.**

1. vivir en una casa moderna (el estudiante)

2. recibir un regalo muy bonito (el padre)

____

____

3. correr en el parque (el perro)

____

____

4. abrir la puerta (el monstruo)

____

____

5. dividir la pizza (Pablo)

____

____

6. comer una banana (el mono)

____

____

7. describir la ópera (la mujer)

____

____

8. salir de la casa los domingos (los niños)

____

____

Nombre: ______________________ Clase: __________ Fecha: __________

EJERCICIO A

Describe each picture using a form of **estar**.

1. El turista *está* en Nueva York.
2. José Antonio ______________________.

3. ¿Dónde ______________________ la universidad?
4. Tú ______________________.

5. La ventana ____________________.

6. Nosotras ____________________.

7. El café ____________________.

8. El cine ____________________.

9. Los amigos ____________________.

10. Los alumnos ____________________.

EJERCICIO B

Describe each picture using a form of **ser**.

1. Yo ______________________.

2. Los abuelos ______________________.

3. El muchacho ______________________.

4. La mujer ______________________.

5. Mi padre ______________________.

6. ¿ ____________ Uds. ____________?

7. Mis hermanos ______________.

8. Sultán ______________.

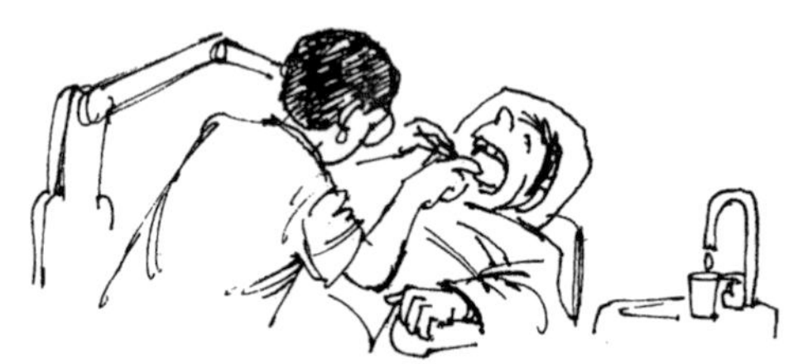

9. Somos ______________.

10. La mamá de Graciela ______________.

EJERCICIO C

Complete each sentence with **ser** or **estar**, as needed.

1. María ______________ triste hoy.
2. Mi tía ______________ abogada.
3. Yo ______________ mexicana.
4. Ella ______________ tocando la guitarra.
5. El agua ______________ muy fría.
6. ¿Cómo ______________ Uds. hoy?
7. ¿______________ ellos profesores?
8. ¿Dónde ______________ tus libros?
9. ¿______________ gordo el gato de Javier?
10. Nosotros ______________ enfermos.

EJERCICIO D

Finish the sentences below by changing the form of the verb **estar** and writing the opposite of the adjective.

EXAMPLE: Ella está muy triste hoy, pero Uds. **están muy contentos.**

1. Después de correr en el parque, ellos están sucios, pero Josefa ________________.
2. La mochila está cerrada, pero la gaveta ________________.
3. Yo estoy bien, pero mis hermanos ________________.
4. Las hijas están contentas, pero la mamá ________________.
5. El café está caliente, pero la limonada está ________________.
6. Tú y yo estamos alegres, pero la profesora ________________.
7. Ella está enferma, pero nosotros ________________.
8. Las ventanas están abiertas, pero la puerta ________________.

EJERCICIO E

Rewrite the following sentences substituting the words in parentheses for the subjects and making all necessary changes.

FOR EXAMPLE: Los muchachos no están contentos hoy. (el muchacho)
El muchacho no está contento hoy.

1. Ella está enferma. (nosotros)

   ____

2. Yo no estoy bien. (Felipe)

   ____

3. Los gatos están limpios. (el perro)

   ____

4. Federico está contento. (mis padres)

____

5. Ustedes están tristes. (Juan y Manolo)

____

6. Mi amigo está cansado. (yo)

____

7. La leche está fría. (el café)

____

8. Los perros están en el parque. (Julia y Damián)

____

9. Ellos están en Brasil. (mi abuelo)

____

10. La sopa está caliente. (las hamburguesas)

____

EJERCICIO F

Complete with the proper form of **estar**.

1. El médico ____________________ en el hospital.
2. Yo ____________________ bien, gracias.
3. ¿Dónde ____________________ mis hijos?
4. María ____________________ hablando por teléfono.
5. Nosotros ____________________ enfermos hoy.
6. Rosa y Felipe ____________________ en casa.
7. Las casas ____________________ en Nueva York.

8. ¿Dónde ____________________ tú ahora?

9. La comida ____________________ fría.

10. Los alumnos ____________________ sentados.

EJERCICIO G

Underline the form of **ser** or **estar** that correctly completes the sentence.

1. Yo (soy, estoy) enfermo.
2. Los edificios (son, están) nuevos.
3. Nosotros (somos, estamos) mexicanos.
4. Mi casa (es, está) grande.
5. El señor Molina (es, está) joven.
6. Mis abuelos (son, están) muy viejos.
7. Pablo y María (son, están) cantando.
8. El café (es, está) frío.
9. Tú y yo (somos, estamos) en la playa.
10. ¿Por qué (eres, estás) triste?

EJERCICIO H

Using a form of **ser** or **estar**, write sentences with the words provided.

EXAMPLE: mis hermanos/aquí
Mis hermanos están aquí.

1. La escuela/abierta

____

2. Felipe/abogado

____

3. Rosa/mexicana

____

4. Antonio y José/cansados

____

5. tú/de Quito

____

6. tú/en Quito

____

7. los muchachos/estudiar

____

8. la comida/buena

____

9. yo/norteamericano

____

10. nosotros/amigos

____

Nombre: ______________________ Clase: __________ Fecha: __________

EJERCICIO A

Tell what the next day is.

1. Hoy es martes. Mañana es ______________________.
2. Hoy es viernes. Mañana es ______________________.
3. Hoy es lunes. Mañana es ______________________.
4. Hoy es miércoles. Mañana es ______________________.
5. Hoy es domingo. Mañana es ______________________.
6. Hoy es jueves. Mañana es ______________________.
7. Hoy es sábado. Mañana es ______________________.

EJERCICIO B

Fill in the blanks with the missing months.

1. enero
2. ______________
3. ______________
4. ______________
5. mayo
6. ______________
7. julio
8. ______________
9. ______________
10. ______________
11. ______________
12. diciembre

EJERCICIO C

Name the month suggested by the pictures.

1. ______________________________

2. ______________________________

3. ______________________________

4. ______________________________

5. ______________________________

6. ______________________________

7. ______________________________

8. 

9. ______________________________

10. ______________________________

EJERCICIO D

¿Antes o después? Give the day that comes before and after the day indicated.

1. lunes: antes del ______________________________
2. sábado: después del ______________________________
3. viernes: antes del ______________________________
4. jueves: después del ______________________________
5. miércoles: antes del ______________________________
6. martes: después del ______________________________
7. domingo: antes del ______________________________

EJERCICIO E

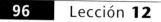

Write out the circled dates in Spanish.

EXAMPLE: **Hoy es domingo, 6 de octubre.**

	ENERO	FEBRERO	MARZO	ABRIL
LUNES	7 14 21 28	4 11 18 25	4 11 18 25	1 8 15 22 29
MARTES	1 8 15 22 29	5 12 19 26	5 12 19 26	2 9 16 23 30
MIÉRCOLES	2 9 16 23 30	6 13 20 **27**	6 13 20 27	3 10 17 24
JUEVES	3 10 17 24 **31**	7 14 21 28	7 14 21 28	4 11 18 25
VIERNES	4 11 18 25	1 8 15 22	1 **8** 15 22 29	5 12 19 26
SÁBADO	5 12 19 26	2 9 16 23	2 9 16 23 30	6 13 20 27
DOMINGO	6 13 20 27	3 10 17 24	3 10 17 24 31	**7** 14 21 28

	MAYO	JUNIO	JULIO	AGOSTO
LUNES	6 13 20 27	3 **10** 17 24	1 8 15 22 29	5 12 19 26
MARTES	7 14 21 28	4 11 18 25	2 9 **16** 23 30	6 13 20 27
MIÉRCOLES	1 8 15 22 29	5 12 19 26	3 10 17 24 31	7 14 21 28
JUEVES	2 9 16 23 30	6 13 20 27	4 11 18 25	1 8 15 22 29
VIERNES	3 10 17 **24** 31	7 14 21 28	5 12 19 26	2 9 16 23 30
SÁBADO	4 11 18 25	1 8 15 22 29	6 13 20 27	**3** 10 17 24 31
DOMINGO	5 12 19 26	2 9 16 23 30	7 14 21 28	4 11 18 25

	SEPTIEMBRE	OCTUBRE	NOVIEMBRE	DICIEMBRE
LUNES	2 9 16 23 30	7 14 21 28	4 **11** 18 25	2 9 16 23 30
MARTES	3 10 **17** 24	1 8 15 22 29	5 12 19 26	3 10 17 24 31
MIÉRCOLES	4 11 18 25	2 9 16 23 30	6 13 20 27	4 11 18 **25**
JUEVES	5 12 19 26	3 10 17 24 31	7 14 21 28	5 12 19 26
VIERNES	6 13 20 27	4 11 18 25	1 8 15 22 29	6 13 20 27
SÁBADO	7 14 21 28	5 12 19 26	2 9 16 23 30	7 14 21 28
DOMINGO	1 8 15 22 29	**6** 13 20 27	3 10 17 24	1 8 15 22 29

1. ______________________________

2. ______________________________

3. ______________________________

4. ______________________________

5. ______________________________

6. ______________________________

7. ______________________________

8. ______________________________

9. ______________________________

10. ______________________________

11. ______________________________

12. ______________________________

EJERCICIO F

Complete these Spanish sentences.

1. Un año tiene ______________ meses.
2. ______________ es el primer mes del año.
3. ______________ es el último mes del año.
4. El mes de junio tiene ______________ días.
5. Si hoy es lunes, mañana es ______________.
6. Si hoy es el primero de enero, mañana es ______________.
7. No vamos a la escuela los sábados ni los ______________.
8. Hay vacaciones largas en ______________ y ______________.
9. El Día de la Independencia es el 4 de ______________.
10. El Día de Año Nuevo es el primero de ______________.

EJERCICIO G

You have not been feeling well and have been unable to attend school. Some of your classmates have texted you and some sent you get-well e-mails. Answer each of your friends by thanking them for their concern and telling them how you feel. Don't forget to answer each of their questions in your reply.

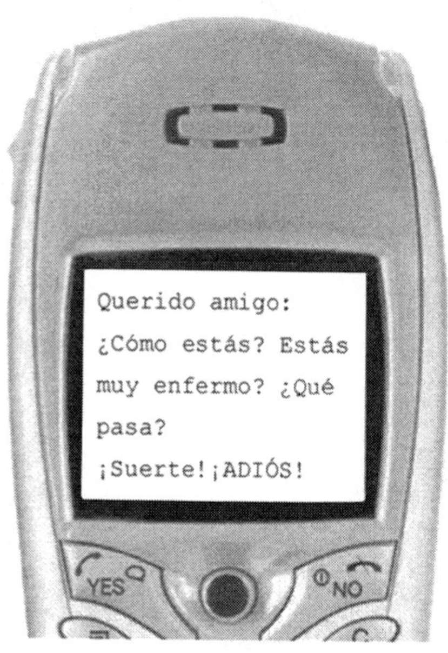
Querido amigo:
¿Cómo estás? Estás muy enfermo? ¿Qué pasa?
¡Suerte!¡ADIÓS!
YES
NO

____

____

____

____

____

____

____

____

____

Archivo Editar Ver Insertar Formato Opciones Herramientas Ayuda
Enviar | Ortografía | Adjuntar | Seguridad | Guardar

De:
Para:
Asunto:

Cuerpo del texto | Anchura variable

Querido amigo:

Estamos muy preocupados. ¿Cómo estás? ¿Estás aburrido en la casa? ¿Estás triste? Por favor, envía un mensaje pronto.

Con cariño,
Tus amigos de la clase de español.